Jusquici Pour Constituer La Science Sociale

Auguste Comte

Edition : Culturea (culurea.fr), 34 Hérault
Contact : infos@culturea.fr
Impression : BOD, Norderstedt (Allemagne)
ISBN : 9791041834730
Date de publication : juillet 2023
Mise en page et maquettage : https://reedsy.com/
Cet ouvrage a été composé avec la police Bauer Bodoni

jusquici pour constituer la science sociale.

des principales tentatives philosophiques entreprises jusqu'ici pour constituer la science sociale.

Le degré supérieur de complication, de spécialité, et en même temps d'intérêt, qui caractérise nécessairement les phénomènes sociaux, comparés à tous les autres phénomènes naturels, à ceux même de la vie individuelle, constitue, sans doute, d'après les principes généraux de hiérarchie scientifique établis dans l'ensemble de ce Traité, la cause la plus fondamentale de l'imperfection beaucoup plus prononcée que doit présenter leur étude, où l'esprit positif ne pouvait évidemment avoir aucun accès rationnel sans avoir préalablement commencé à dominer l'étude de tous les phénomènes plus simples; ce qui n'a été convenablement accompli que de nos jours, en vertu de l'importante révolution philosophique qui a donné naissance à la physiologie cérébrale, comme je l'ai expliqué à la fin du volume précédent. Mais, indépendamment de ce motif principal, déjà suffisamment indiqué, et qui d'ailleurs deviendra bientôt le sujet d'une appréciation directe, je crois devoir commencer, dès ce moment, à signaler une considération nouvelle, éminemment propre à expliquer, d'une manière toute spéciale, pourquoi l'esprit humain n'a pu jusqu'à présent fonder la science sociale sur des bases vraiment positives. Cette considération consiste en ce que, par la nature d'une telle étude, notre intelligence ne pouvait réellement, avant l'époque actuelle, y statuer sur un ensemble de faits assez étendu pour diriger convenablement ses spéculations rationnelles à l'égard des lois fondamentales des phénomènes sociaux.

En expliquant sommairement, dès le début de cet ouvrage, l'invincible nécessité logique qui fait toujours exclusivement dépendre le premier essor spéculatif d'une doctrine quelconque de l'emploi spontané d'une méthode purement théologique, j'ai déjà suffisamment indiqué, même envers les plus simples phénomènes, l'impossibilité générale de former primitivement le système d'observations propre à servir de base immédiate à toute théorie positive (voyez la première leçon). Or, les phénomènes sociaux, outre leur participation évidente et plus prononcée à cette obligation commune, présentent, sous un tel aspect, ce caractère éminemment spécial, que leur propre existence ne pouvait, dans l'origine, être assez développée pour comporter aucune observation vraiment scientifique, lors même que l'esprit humain eût été alors convenablement préparé. Dans tout autre sujet, par suite de l'immuable perpétuité des phénomènes, les observations rationnelles n'étaient d'abord impossibles qu'à cause de l'absence, longtemps inévitable, d'observateurs bien disposés. Mais, par une exception évidemment propre à la science sociale, et qui a dû spécialement contribuer à prolonger son enfance, il est clair que les phénomènes euxmêmes y ont longtemps manqué de la plénitude et de la variété de développement indispensables à leur exploration scientifique, abstraction faite des conditions à remplir par les observateurs. Sans un lent et pénible essor spontané de l'état social dans une partie notable de l'espèce humaine, et jusqu'à ce que le cours naturel de l'évolution sociale y eût graduellement conduit à des modifications assez profondes et assez générales de la civilisation primitive, cette science devait nécessairement se trouver dépourvue de toute base expérimentale vraiment suffisante. Cette évidente considération nous servira plus tard à faire plus nettement ressortir l'indispensable office de la philosophie théologique pour diriger les premiers progrès de l'esprit humain et de la société. Mais nous ne devons l'employer ici qu'à mieux caractériser les entraves inévitables qui ont dû ainsi retarder la formation d'une véritable science sociale.

Toute discussion directe et précise de la portée nécessaire de cet obstacle fondamental serait actuellement déplacée. Quand le moment sera venu d'effectuer, dans l'un des chapitres suivans, cette exacte détermination, je démontrerai, j'espère, avec une irrécusable évidence, que, par suite d'une telle obligation, judicieusement mesurée, la science sociale n'a commencé à devenir possible qu'en s'appuyant précisément sur l'analyse rationnelle de l'ensemble du développement accompli jusqu'à nos jours dans l'élite de l'espèce humaine, tout passé moins étendu devant être insuffisant. C'est ainsi que les conditions relatives à la succession même des phénomènes, coïncideront, d'une manière aussi rigoureuse que spontanée, avec celles déjà assez établies, par l'ensemble des trois volumes précédens, quant à la préparation de l'observateur d'après l'élaboration préalable des branches moins compliquées de la philosophie positive, pour assigner, sans aucune grave incertitude, le siècle actuel comme l'époque nécessaire de la formation définitive de la science sociale, jusque alors essentiellement impossible.

Quoique ce ne soit point ici le lieu d'entreprendre convenablement cette importante démonstration, j'y crois devoir néanmoins indiquer une considération très propre à faire déjà pressentir une telle explication, en représentant le salutaire ébranlement général imprimé à notre intelligence par la révolution française, comme ayant été finalement indispensable pour permettre le développement de spéculations à la fois assez positives et assez étendues à l'égard des phénomènes sociaux. Jusque alors, en effet, les tendances fondamentales de l'humanité ne pouvaient être assez fortement caractérisées pour devenir, même chez les philosophes les plus éminens et les mieux disposés, le sujet d'une appréciation pleinement scientifique, propre à dissiper sans retour toute grave fluctuation. Tant que le système politique, qui, graduellement modifié, avait toujours présidé au développement antérieur de la société, n'était point encore ainsi attaqué directement dans son ensemble, de manière à manifester hautement l'impossibilité de perpétuer sa prépondérance, la notion fondamentale du progrès, première base nécessaire de toute véritable science sociale, ne pouvait aucunement acquérir la fermeté, la netteté, et la généralité sans lesquelles sa destination scientifique ne saurait être convenablement remplie. En un mot, la direction essentielle du mouvement social n'était point jusque alors suffisamment déterminée, et par suite les spéculations sociales se trouvaient toujours radicalement entravées par les vagues et chimériques conceptions de mouvemens oscillatoires ou circulaires, qui, même aujourd'hui, entretiennent encore, chez tant d'esprits distingués mais mal préparés, une si déplorable hésitation relativement à la vraie nature de la progression humaine. Or, la science sociale pourraitelle réellement exister, tant qu'on ignore en quoi consiste cette progression fondamentale? Le fait même du développement général, dont une telle science doit étudier les lois principales, peut alors être essentiellement contesté; puisque, d'un semblable point de vue, l'humanité doit paraître indéfiniment condamnée à une arbitraire succession de phases toujours identiques, sans éprouver jamais aucune transformation vraiment nouvelle et définitive, graduellement dirigée vers un but exactement déterminé par l'ensemble de notre nature.

Toute idée de progrès social était nécessairement interdite aux philosophes de l'antiquité, faute d'observations politiques assez complètes et assez étendues. Aucun d'eux, même parmi les plus éminens et les plus judicieux, n'a pu se soustraire à la tendance, alors aussi universelle que spontanée, à considérer directement l'état social contemporain comme radicalement inférieur à celui des temps antérieurs. Cette inévitable disposition était d'autant plus naturelle et légitime, que l'époque de ces travaux philosophiques coïncidait essentiellement, comme je l'expliquerai plus lard, avec celle de la décadence nécessaire du régime grec ou romain. Or, cette décadence qui, en considérant l'ensemble du passé social, constitue certainement un progrès véritable, en tant que préparation indispensable au régime plus avancé des temps postérieurs, ne pouvait être aucunement jugée de cette manière par les anciens, hors d'état de soupçonner une telle succession. J'ai déjà indiqué, dans la leçon précédente, la première ébauche générale de la notion, ou plutôt du sentiment, du progrès de l'humanité, comme ayant été d'abord nécessairement due au christianisme, qui, en proclamant directement la supériorité fondamentale de la loi de Jésus sur celle de Moïse, avait spontanément formulé cette idée, jusque alors inconnue, d'un état plus parfait remplaçant définitivement un état moins parfait, préalablement indispensable jusqu'à une époque déterminée 20. Quoique le catholicisme n'ait fait, ainsi, sans doute, que servir d'organe général au développement naturel de la raison humaine, ce précieux office n'en constituera pas moins toujours, aux yeux impartiaux des vrais philosophes, un de ses plus beaux titres à notre impérissable reconnaissance. Mais, indépendamment des graves inconvéniens de mysticisme et de vague obscurité, qui sont inhérens à tout emploi quelconque de la méthode théologique, une telle ébauche était certainement insuffisante pour constituer aucun aperçu scientifique de la progression sociale. Car, cette progression se trouve ainsi nécessairement fermée par la formule même qui la proclame, puisqu'elle est alors irrévocablement bornée, de la manière la plus absolue, au seul avénement du christianisme, audelà duquel l'humanité ne saurait faire un pas. Or, l'efficacité sociale de toute philosophie théologique quelconque étant aujourd'hui, et pour jamais, essentiellement épuisée, il est évident que cette conception présente désormais, en réalité, un caractère éminemment rétrograde, comme je l'ai déjà établi, en confirmation d'une irrécusable expérience, qui ne cesse de s'accomplir sous nos yeux. D'un point de vue purement scientifique, on conçoit aisément que la condition de continuité constitue un élément indispensable de la notion définitive du progrès de l'humanité, notion qui resterait nécessairement impuissante à diriger l'ensemble rationnel des spéculations sociales, si elle représentait la progression comme limitée, par sa nature, un état déterminé, depuis longtemps atteint.

Note 20: (retour) Il convient, ce me semble, de noter ici que cette grande notion appartient essentiellement au catholicisme, auquel le protestantisme ne l'a ensuite empruntée que d'une manière très imparfaite, et même radicalement vicieuse, nonseulement à cause de son recours vulgaire et irrationnel aux temps de la primitive église, mais aussi en vertu de sa tendance continue, plus aveugle encore et non moins prononcée, à proposer surtout pour guide aux peuples modernes la partie la plus arriérée et la plus dangereuse des SaintesÉcritures, c'estàdire celle qui concerne l'antiquité judaïque. On sait d'ailleurs que le mahométisme, en prolongeant, à sa manière, la même notion, n'a fait que tenter, à ce sujet, comme à tant d'autres, sans aucune amélioration réelle, une grossière imitation, évidemment dépourvue de toute véritable originalité.
Par ces divers motifs, on peut, dès ce moment, sentir, en aperçu, que la véritable idée du progrès, soit partiel, soit total, appartient exclusivement, de toute nécessité, à la philosophie positive, qu'aucune autre ne saurait, à cet égard, suppléer. Cette philosophie pourra seule dévoiler la vraie nature de la progression sociale, c'estàdire, caractériser le terme final, jamais pleinement réalisable, vers lequel elle tend à diriger l'humanité, et en même temps faire connaître la marche générale de ce développement graduel. Une telle attribution est déjà nettement vérifiée par l'origine toute moderne des seules idées de progrès continu qui aient aujourd'hui un caractère vraiment rationnel, et qui se rapportent surtout au développement effectif des sciences positives, d'où elles sont spontanément dérivées. On peut même remarquer que le premier aperçu satisfaisant de la progression générale appartient à un philosophe essentiellement dirigé par l'esprit géométrique, dont le développement, comme je l'ai si souvent expliqué, avait dû précéder celui de tout autre mode plus complexe de l'esprit scientifique. Mais, sans attacher à cette observation personnelle une importance exagérée, il demeure incontestable que le sentiment du progrès des sciences a pu seul inspirer à Pascal cet admirable aphorisme, à jamais fondamental: «Toute la succession des hommes, pendant la longue suite des siècles, doit être considérée comme un seul homme, qui subsiste toujours, et qui apprend continuellement.» Sur quelle autre base pouvait auparavant reposer un tel aperçu? Quelle qu'ait dû être l'immédiate efficacité de ce premier trait de lumière, il faut néanmoins reconnaître que les idées de progrès nécessaire et continu n'ont commencé à acquérir une vraie consistance philosophique,

et à provoquer réellement un certain degré d'attention publique, que par suite de la mémorable controverse qui a ouvert, avec tant d'éclat, le siècle dernier, sur la comparaison générale entre les anciens et les modernes. Cette discussion solennelle, dont l'importance a été jusqu'ici peu sentie, constitue, à mes yeux, un véritable événement, d'ailleurs convenablement préparé, dans l'histoire universelle de la raison humaine, qui, pour la première fois, osait ainsi proclamer enfin directement son progrès fondamental. Or, il serait, sans doute, inutile de faire expressément remarquer que l'esprit scientifique animait surtout les principaux chefs de ce grand mouvement philosophique, et constituait seul toute la force réelle de leur argumentation générale, malgré la direction vicieuse qu'elle avait d'ailleurs à d'autres égards: on voit même que leurs plus illustres adversaires, par une contradiction bien décisive, faisaient hautement profession de préférer le cartésianisme à l'ancienne philosophie.

Quelque sommaires que doivent être de telles indications, elles suffisent sans doute pour caractériser, d'une manière irrécusable, l'origine évidente de notre notion fondamentale du progrès humain, qui, spontanément issue du développement graduel des diverses sciences positives, y trouve encore aujourd'hui ses fondemens les plus inébranlables. De cette source nécessaire, cette grande notion a toujours tendu, dans le cours du siècle dernier, à s'étendre aussi de plus en plus au mouvement politique de la société. Toutefois, cette extension finale, comme je l'ai cidessus indiqué, ne pouvait acquérir aucune véritable importance propre, avant que l'énergique impulsion déterminée par la révolution française ne fût venue manifester hautement la tendance nécessaire de l'humanité vers un système politique, encore trop vaguement caractérisé, mais, avant tout, radicalement différent du système ancien. Néanmoins, quelque indispensable qu'ait dû être une telle condition préliminaire, elle est certainement bien loin de suffire, puisque, par sa nature, elle se borne essentiellement à donner une simple idée négative du progrès social. C'est uniquement à la philosophie positive, convenablement complétée par l'étude des phénomènes politiques, qu'il appartient d'achever ce qu'elle seule a réellement commencé, en représentant, dans l'ordre politique tout aussi bien que dans l'ordre scientifique, la suite intégrale des transformations antérieures de l'humanité comme l'évolution nécessaire et continue d'un développement inévitable et spontané, dont la direction finale et la marche générale sont exactement déterminées par des lois pleinement naturelles. L'impulsion révolutionnaire, sans laquelle ce grand travail eût été certainement illusoire et même impossible, ne saurait, évidemment, en dispenser à aucun titre. Il est même évident, comme je l'ai expliqué au chapitre précédent, qu'une prépondérance trop prolongée de la métaphysique révolutionnaire tend désormais, de diverses manières, à entraver directement toute saine conception du progrès politique. Quoi qu'il en soit, on ne doit plus s'étonner maintenant si la notion générale de la progression sociale demeure encore essentiellement vague et obscure, et, par suite, radicalement incertaine. Les idées sont même assez peu avancées aujourd'hui sur ce sujet fondamental, pour qu'une confusion capitale, qui, à des yeux vraiment scientifiques, doit sembler extrêmement grossière, n'ait point encore cessé de dominer habituellement la plupart des esprits actuels: je veux parler de ce sophisme universel, que les moindres notions de philosophie mathématique devraient aussitôt résoudre, et qui consiste à prendre un accroissement continu pour un accroissement illimité; sophisme qui, à la honte de notre siècle, sert presque toujours de base aux stériles controverses que nous voyons journellement se reproduire sur la thèse générale du progrès social.

Si l'ensemble des diverses réflexions que je viens d'indiquer a pu d'abord paraître s'écarter réellement du sujet propre de la leçon actuelle, on doit maintenant sentir combien il s'y rapporte d'une manière directe et nécessaire. Ayant ainsi expliqué d'avance l'impossibilité fondamentale de constituer jusqu'à présent la véritable science du développement social, notre appréciation générale des tentatives quelconques, dès lors éminemment prématurées, dont cette grande fondation a pu être l'objet, se trouvera spontanément simplifiée et abrégée à un haut degré, de manière à n'exiger ici qu'une sommaire indication du principal caractère philosophique des travaux correspondans. Or, l'analyse précédente, quoique simplement ébauchée, suffit déjà pour montrer avec évidence, à ce sujet, que les conditions proprement politiques y ont, en général, exactement coïncidé avec les conditions purement scientifiques, de manière à retarder essentiellement jusqu'à nos jours, par leur concours spontané, la possibilité d'établir enfin la science sociale sur des bases vraiment positives. L'influence nécessaire de ce double obstacle est, par sa nature, tellement déterminée qu'elle s'étend, sans effort, avec une précision remarquable, jusqu'à la génération actuelle, qui, seule élevée sous l'impulsion pleinement efficace de la crise révolutionnaire, peut trouver enfin, pour la première fois, dans l'ensemble du passé social, une base suffisante d'exploration rationnelle, et qui, en même temps, peut être convenablement préparée à soumettre directement à la méthode positive l'étude générale des phénomènes sociaux, en vertu de l'introduction préalable de l'esprit positif dans toutes les autres branches fondamentales de la philosophie naturelle, y compris l'étude des phénomènes intellectuels et moraux, dont la positivité naissante ne date que du commencement de ce siècle. Comme l'accomplissement de ces deux grandes conditions était évidemment indispensable, il serait certainement inutile et même inopportun d'entreprendre ici aucune critique spéciale de tentatives philosophiques dont le succès devait être si nécessairement impossible. Y auraitil lieu à démontrer expressément l'inanité radicale des efforts intellectuels destinés à constituer directement la science sociale, avant qu'elle pût reposer sur une base expérimentale suffisamment étendue, et sans que notre intelligence pût être aussi assez rationnellement préparée? Les développemens secondaires que pourrait seul utilement comporter un sujet aussi évident, seraient certainement incompatibles avec la destination principale de cet ouvrage. Je dois donc, à cet égard, me borner à caractériser ici par un rapide aperçu, le vice essentiel propre à chacune de ces diverses opérations philosophiques, ce qui, en vérifiant spécialement le jugement général que nous venons d'en porter d'avance, servira d'ailleurs à mieux manifester ensuite la vraie nature d'une entreprise encore essentiellement intacte.

Quoique, d'après les explications précédentes, il ne s'agisse nullement d'esquisser ici, même à grands traits, l'histoire générale des travaux successifs de l'esprit humain relativement à la science sociale, je ne crois pas néanmoins devoir m'abstenir d'y mentionner d'abord le nom du grand Aristote, dont la mémorable Politique constitue, sans doute, l'une des plus éminentes productions de l'antiquité, et du reste, a fourni jusqu'ici le type général de la plupart des travaux ultérieurs sur le même sujet. Les motifs fondamentaux cidessus exposés sont, par leur nature, éminemment applicables à un ouvrage où ne pouvait encore pénétrer aucun sentiment des tendances progressives de l'humanité, ni le moindre aperçu des lois naturelles de la civilisation, et qui devait être essentiellement dominé par les discussions métaphysiques sur le principe et la forme du gouvernement: il serait, certes, bien superflu d'insister, d'une manière quelconque, à l'égard d'un cas aussi évident. Mais, à une époque où l'esprit positif, naissant à peine, n'avait encore commencé à se manifester faiblement que dans la seule géométrie, et lorsque, en même temps, les observations politiques étaient nécessairement restreintes à un état social presque uniforme et purement préliminaire, envisagé même dans une population très circonscrite, il est vraiment prodigieux que l'intelligence humaine ait pu produire, en un tel sujet, un traité aussi avancé, et dont l'esprit général s'éloigne peutêtre moins d'une vraie positivité qu'en aucun autre travail de ce père immortel de la philosophie. Qu'on relise, par exemple (et, même aujourd'hui, les meilleurs esprits peuvent encore le faire avec fruit), la judicieuse analyse par laquelle Aristote a si victorieusement réfuté les dangereuses rêveries de Platon et de ses imitateurs sur la communauté des biens; et l'on y reconnaîtra aisément des témoignages, aussi nombreux qu'irrécusables, d'une rectitude, d'une sagacité, et d'une force qui, en de semblables matières, n'ont jamais été surpassées jusqu'ici, et furent même rarement égalées. Toutefois, il ne faut pas oublier que cette intéressante appréciation serait, par sa nature, essentiellement étrangère à la principale destination de cet ouvrage. Il est trop évident, d'après nos explications antérieures, que la véritable science sociale ne pouvait être que d'institution moderne, et même d'origine toute récente, pour qu'il convienne ici de s'arrêter davantage aux travaux quelconques de l'antiquité, ne fûtce qu'afin d'y rendre un respectueux hommage au premier essor du génie humain dans ce grand sujet, et malgré l'influence évidente que cette mémorable élaboration primitive a profondément exercée sur l'ensemble ultérieur des méditations philosophiques.

En vertu du double motif général établi cidessus, il serait entièrement superflu de faire aucune mention spéciale de ces divers travaux successifs, d'ailleurs toujours uniformément conduits sur le type d'Aristote, simplement développé par l'accumulation spontanée de nouveaux matériaux classés à peu près selon les mêmes principes. Ces tentatives philosophiques ne peuvent commencer à nous occuper ici qu'à partir de l'époque où, d'une part, la prépondérance définitive de l'esprit positif dans l'étude rationnelle des phénomènes les moins compliqués a pu permettre de comprendre réellement en quoi consistent, en général, les lois naturelles, et où, d'une autre part, la vraie notion fondamentale de la progression humaine, soit partielle, soit totale, a pris enfin graduellement quelque consistance réelle: or, le concours de ces deux indications, convenablement appréciées, ne permet guère de remonter plus loin que vers le milieu du siècle dernier. La première et la plus importante série de travaux qui se présente comme directement destinée à constituer enfin la science sociale, est alors celle du grand Montesquieu, d'abord dans son Traité sur la politique romaine, et surtout ensuite dans son Esprit des Lois.

Ce qui caractérise, à mes yeux, la principale force de ce mémorable ouvrage, de manière à témoigner irrécusablement de l'éminente supériorité de son illustre auteur sur tous les philosophes contemporains, c'est la tendance prépondérante qui s'y fait partout sentir à concevoir désormais les phénomènes politiques comme aussi nécessairement assujétis à d'invariables lois naturelles que tous les autres phénomènes quelconques: disposition si nettement prononcée, dès le début, par cet admirable chapitre préliminaire où, pour la première fois depuis l'essor primitif de la raison humaine, l'idée générale de loi se trouve enfin directement définie, envers tous les sujets possibles, même politiques, suivant l'uniforme acception fondamentale que notre intelligence s'était déjà habituée à lui attribuer dans les plus simples recherches positives. Quelle que soit l'importance de cette innovation capitale, son origine philosophique ne saurait être méconnue, puisqu'elle résulte évidemment de l'entière généralisation finale d'une notion incomplète que le progrès continu des sciences avait dû graduellement rendre très familière à tous les esprits avancés, par une suite spontanée de l'impulsion décisive qu'avait produite, un siècle auparavant, la grande combinaison des travaux de Descartes, de Galilée, et de Képler, et que les travaux de Newton venaient de corroborer si heureusement. Mais cette incontestable filiation ne doit altérer, en aucune manière, l'originalité caractéristique de la conception de Montesquieu; car, tous les bons esprits savent assez aujourd'hui que c'est surtout en de pareilles extensions fondamentales que consistent réellement les progrès principaux de notre intelligence. On doit bien plutôt s'étonner qu'un pas semblable ait pu être conçu, en un temps où la méthode positive n'embrassait encore que les plus simples phénomènes naturels, sans avoir convenablement pénétré dans l'étude générale des corps vivans, et sans être même, à vrai dire, devenue suffisamment prépondérante envers les phénomènes purement chimiques. Cette admiration nécessaire ne pourra que s'accroître en ayant aussi égard au second aspect élémentaire cidessus signalé, et considérant que la notion fondamentale de la progression humaine, première base indispensable de toute véritable loi sociologique, ne pouvait avoir, pour Montesquieu, ni la netteté, ni la consistance, ni surtout la généralité complète qu'a pu lui faire acquérir ensuite le grand ébranlement politique sous l'impulsion duquel nous pensons aujourd'hui. A une époque où les plus éminens esprits, essentiellement préoccupés de vaines utopies métaphysiques, croyaient encore à la puissance absolue et indéfinie des législateurs, armés d'une autorité suffisante, pour modifier à volonté l'état social, combien ne fallaitil pas être en avant de son siècle pour oser concevoir, d'après une aussi imparfaite préparation, les divers phénomènes politiques comme toujours réglés, au contraire, par des lois pleinement naturelles, dont l'exacte connaissance devrait nécessairement servir de base rationnelle à toute sage spéculation sociale, finalement propre à guider utilement les combinaisons pratiques des hommes d'état!

Malheureusement, les mêmes causes générales qui établissent, avec tant d'évidence, cette irrécusable prééminence philosophique de Montesquieu sur tous ses contemporains, font également sentir, d'une manière non moins prononcée, l'inévitable impossibilité de tout succès réel dans une entreprise aussi hautement prématurée, quant à son but principal, dont les conditions préliminaires les plus essentielles, soit scientifiques, soit politiques, étaient alors si loin d'un accomplissement suffisant. Il n'est que trop manifeste, en effet, que le projet fondamental de Montesquieu n'a été nullement réalisé dans l'ensemble de l'exécution de son travail, qui, malgré l'éminent mérite de certains détails, ne s'écarte pas essentiellement de la nature commune des divers travaux antérieurs, et ne tarde point, à vrai dire, à revenir, comme ceuxci, au type primitif du Traité d'Aristote, dont il n'a pu d'ailleurs aucunement égaler, eu égard au temps, la rationnelle composition. Après avoir reconnu, en principe général, la subordination nécessaire des phénomènes sociaux à d'invariables lois naturelles, on ne voit plus, dans le cours de l'ouvrage, que les faits politiques y soient, en réalité, nullement rapportés au moindre aperçu de ces lois fondamentales: et même la stérile accumulation de ces faits, indifféremment empruntés, souvent sans aucune critique vraiment philosophique, aux états de civilisation les plus opposés, paraît directement repousser toute idée d'un véritable enchaînement scientifique, pour ne laisser ordinairement subsister qu'une liaison purement illusoire, fondée sur d'arbitraires rapprochemens métaphysiques. La nature générale des conclusions pratiques de Montesquieu vérifie clairement, ce me semble, combien l'exécution de son travail a été loin de correspondre à sa grande intention primitive. Car, cette pénible élaboration irrationnelle de l'ensemble total des sujets sociaux, n'aboutit finalement qu'à proclamer, comme type politique universel, le régime parlementaire des Anglais, dont l'insuffisance nécessaire, pour satisfaire aux besoins politiques fondamentaux des sociétés modernes, était, sans doute, beaucoup moins sensible alors qu'elle n'a dû le devenir aujourd'hui, mais sans être, au fond, guère moins réelle, puisque la situation générale n'a fait depuis que mieux manifester son principal caractère, déjà essentiellement établi à cette époque, comme j'aurai lieu de le démontrer plus tard. A la vérité, l'insignifiance même d'une telle issue honore, sous certains rapports, le caractère philosophique de Montesquieu, qui, entouré d'un vain débordement d'utopies métaphysiques, a su renoncer avec fermeté à l'ascendant vulgaire qu'il eût si aisément obtenu, pour restreindre scrupuleusement ses conclusions pratiques dans les limites très étroites imposées par son insuffisante théorie. Mais, la nécessité logique d'une semblable restriction, si évidemment inférieure aux besoins réels de la société, fournit, sans doute, indirectement une irrécusable confirmation générale de la direction vicieuse et illusoire qui a présidé à l'exécution réelle de cette grande opération philosophique, ainsi radicalement dépourvue de sa principale efficacité politique.

La seule portion considérable d'un tel travail qui paraisse présenter une certaine positivité effective, est celle où Montesquieu s'efforce d'apprécier exactement l'influence sociale des diverses causes locales continues, dont l'ensemble peut être désigné, en politique, sous le nom de climat. Dans cette entreprise scientifique, évidemment inspirée d'ailleurs par le beau Traité d'Hippocrate, on reconnaît directement, en effet, une tendance constante à rattacher soigneusement, à l'imitation de la philosophie naturelle, les divers phénomènes observés à des forces réelles capables de les produire: mais il est très sensible aussi que ce but général a été essentiellement manqué. Sans rappeler aucunement ici une facile critique, déjà tant reproduite, et souvent avec bien peu de justice, par un grand nombre de philosophes postérieurs, on ne peut contester que Montesquieu n'ait, pour l'ordinaire, gravement méconnu la véritable influence politique des climats, qu'il a presque toujours extrêmement exagérée. Ce que je dois surtout faire remarquer à ce sujet, c'est la principale cause philosophique d'un tel ordre d'aberrations, nécessairement provenues d'une vaine tendance irrationnelle à analyser spécialement une pure modification avant que l'action fondamentale ait pu être convenablement appréciée 21. Sans avoir aucunement établi en quoi consiste la progression sociale, ni quelles en sont les lois essentielles, il est évidemment impossible de se former la moindre idée juste des perturbations plus ou moins secondaires qui peuvent résulter du climat, ou de toute autre influence accessoire, même plus puissante, comme celle des diverses races humaines, ainsi que je l'expliquerai directement plus tard, quand je traiterai de la méthode en physique sociale. Nous reconnaîtrons alors que ces diverses perturbations quelconques ne peuvent affecter que la vitesse de la progression, dont aucun terme important ne saurait être ni supprimé, ni déplacé. Ainsi, quelque intérêt que puisse offrir leur analyse spéciale, elle ne peut comporter aucun succès rationnel, tant que les lois fondamentales du développement social ne sont point préalablement dévoilées. On s'explique aisément l'illusion très naturelle d'après laquelle Montesquieu, qui ne pouvait aucunement concevoir ces lois, et qui pourtant voulait, presque à tout prix, faire pénétrer enfin l'esprit positif dans le domaine des idées politiques, a été ainsi conduit à s'occuper avec prédilection du seul ordre régulier de spéculations sociales qui pût lui sembler propre à l'accomplissement spontané d'une telle condition philosophique. Mais cette aberration, alors fort excusable, si même elle pouvait être réellement évitée, n'en présente pas moins sous un nouveau jour l'immense et irrécusable lacune relative à l'opération fondamentale, dont la vicieuse exécution n'a pu fournir aucun guide convenable dans l'examen des questions secondaires. On n'a pu même apercevoir nullement ainsi cette remarque générale, qui ressort cependant, avec tant d'évidence, de l'ensemble des observations, et qui doit dominer toute la théorie politique des climats, savoir: que les causes physiques locales, très puissantes à l'origine de la civilisation, perdent successivement de leur empire à mesure que le cours naturel du développement humain permet davantage de neutraliser leur action. Une telle relation se serait, sans doute, spontanément présentée à Montesquieu, si, conformément à la nature du sujet, il avait pu procéder à la théorie politique du climat après avoir d'abord fixé l'indispensable notion fondamentale de la progression générale de l'humanité.

Note 21: (retour) C'est la même erreur logique que si, en astronomie, on prétendait déterminer les perturbations sans avoir d'abord apprécié les gravitations principales, comme je l'ai indiqué, en 1822, à la fin de mon Système de politique positive.
En résumé, ce grand philosophe a conçu, le premier, une entreprise capitale doublement prématurée, dans laquelle il devait radicalement échouer, soit en s'efforçant de soumettre à l'esprit positif l'étude générale des phénomènes sociaux avant qu'il eût même convenablement pénétré dans le système entier des connaissances biologiques, soit, sous le point de vue purement politique, en se proposant essentiellement de préparer la réorganisation sociale en un temps uniquement destiné à l'action révolutionnaire proprement dite. C'est là surtout ce qui explique pourquoi une aussi éminente intelligence, par suite même d'un avancement trop prononcé, a néanmoins exercé sur son siècle une action immédiate bien inférieure à celle d'un simple sophiste, tel que Rousseau, dont l'état intellectuel, beaucoup plus conforme à la disposition générale de ses contemporains, lui a permis de se constituer spontanément, avec tant de succès, l'organe naturel du mouvement purement révolutionnaire qui devait caractériser cette époque. Montesquieu ne pourra être pleinement apprécié que par notre postérité, où l'extension, finalement réalisée, de la philosophie positive à l'ensemble des spéculations sociales, fera profondément sentir la haute valeur de ces tentatives précoces qui, tout en manquant nécessairement un but encore trop éloigné, contribuent néanmoins, par de lumineuses et indispensables indications préliminaires, à poser convenablement la question générale qui devra être ultérieurement résolue.

Depuis Montesquieu, le seul pas important qu'ait fait jusqu'ici la conception fondamentale de la sociologie 22, est dû à l'illustre et malheureux Condorcet, dans son mémorable ouvrage sur l'Esquisse d'un tableau historique des progrès de l'esprit humain, au sujet duquel une juste appréciation exige toutefois qu'on n'oublie point la haute participation préalable de son célèbre ami, le sage Turgot, dont les précieux aperçus primitifs sur la théorie générale de la perfectibilité humaine avaient sans doute utilement préparé la pensée de Condorcet. Ici, quoique, finalement, la grande opération philosophique, évidemment projetée par Montesquieu, ait encore, au fond, également avorté, et peutêtre même d'une manière plus prononcée, il demeure néanmoins incontestable que, pour la première fois, la notion scientifique, vraiment primordiale, de la progression sociale de l'humanité, a été enfin nettement et directement introduite, avec toute la prépondérance universelle qu'elle doit exercer dans l'ensemble d'une telle science, ce qui, certainement, n'avait pas lieu chez Montesquieu. Sous ce point de vue, la principale force de l'ouvrage réside dans cette belle introduction où Condorcet expose immédiatement sa pensée générale, et caractérise son projet philosophique d'étudier l'enchaînement fondamental des divers états sociaux. Ce petit nombre de pages immortelles ne laisse vraiment à désirer, surtout pour l'époque, rien d'essentiel, en ce qui concerne la position totale de la question sociologique, qui, dans un avenir quelconque, reposera toujours, à mon gré, sur cet admirable énoncé, à jamais acquis à la science. Malheureusement, l'exécution de ce dessein capital est loin de correspondre, en aucune manière, à la grandeur d'un tel projet, qui, malgré cette infructueuse tentative, reste encore entièrement intact, comme il serait aujourd'hui superflu de le démontrer expressément ici. D'après les principes que j'ai établis, une judicieuse appréciation philosophique de la situation générale de l'esprit humain à cette époque peut, ce me semble, aisément expliquer à la fois et le succès de la conception et l'avortement de l'exécution, abstraction faite d'ailleurs de l'influence secondaire qu'a dû exercer, à l'un ou à l'autre titre, la nature spéciale de l'intelligence qui a servi d'organe à cette opération.

Note 22: (retour) Je crois devoir hasarder, dès à présent, ce terme nouveau, exactement équivalent à mon expression, déjà introduite, de physique sociale, afin de pouvoir désigner par un nom unique cette partie complémentaire de la philosophie naturelle qui se rapporte à l'étude positive de l'ensemble des lois fondamentales propres aux phénomènes sociaux. La nécessité d'une telle dénomination, pour correspondre à la destination spéciale de ce volume, fera, j'espère, excuser ici ce dernier exercice d'un droit légitime, dont je crois avoir toujours usé avec toute la circonspection convenable, et sans cesser d'éprouver une profonde répugnance pour toute habitude de néologisme systématique.
Il suffit, à cet effet, d'estimer, par aperçu, le progrès essentiel qu'avait dû faire, de Montesquieu à Condorcet, l'accomplissement graduel des deux grandes conditions, l'une scientifique, l'autre politique, dont j'ai cidessus établi la nécessité dans une telle élaboration. Sous le premier aspect, il faut surtout remarquer que l'admirable essor des sciences naturelles, et principalement de la chimie, pendant la seconde moitié du siècle dernier, avait dû tendre spontanément à développer, à un haut degré, chez tous les esprits avancés, la notion fondamentale des lois positives, ainsi devenue à la fois plus étendue et plus profonde, et par suite de plus en plus prépondérante. On doit même spécialement noter, à ce sujet, que cette époque est aussi celle où l'étude générale des corps vivans a commencé à prendre enfin une certaine consistance et un vrai caractère scientifique, au moins dans l'ordre anatomique et dans l'ordre taxonomique, si ce n'est

encore dans l'ordre purement physiologique. Estil étonnant dès lors qu'un esprit tel que celui de Condorcet, rationnellement préparé, sous la direction du grand d'Alembert, par de fortes méditations mathématiques, qui, par une position sociale éminemment philosophique, avait dû profondément ressentir l'impulsion des immenses progrès contemporains des sciences physicochimiques, et qui, en outre, avait pu subir pleinement l'heureuse influence des mémorables travaux de Haller, de Jussieu, de Linné, de Buffon et de Vicqd'Azir, sur les principales parties de la philosophie biologique, ait enfin distinctement conçu le projet fondamental de transporter directement aussi, dans l'étude spéculative des phénomènes sociaux, cette même méthode positive qui, depuis Descartes, n'avait jamais cessé de régénérer ainsi de plus en plus le système entier des connaissances humaines? Avec un ensemble d'antécédens aussi favorables, le génie plus éminent de Montesquieu eût réalisé, sans doute, de tout autres résultats, dans une pareille situation. Il faut cependant reconnaître, même d'après les explications que je viens d'indiquer, que la constitution générale de la science sociale sur des bases vraiment positives était encore, pour Condorcet luimême, essentiellement prématurée, quoiqu'elle dût l'être beaucoup moins, sans doute, que pour Montesquieu. Car, il restait ainsi à traverser, en outre, une dernière station intermédiaire, dont la nécessité ne pouvait être éludée, en établissant le système rationnel, alors à peine ébauché, de la saine philosophie biologique, et surtout en complétant cette philosophie par l'extension directe de la méthode positive à l'étude des phénomènes intellectuels et moraux, indispensable révolution préliminaire, dont l'infortuné Condorcet n'a pu être témoin. Une telle lacune spéculative se fait partout sentir, de la manière la plus déplorable, dans l'ouvrage de Condorcet, et principalement au sujet de ces vagues et irrationnelles conceptions de perfectibilité indéfinie, où son imagination, dépourvue de tout guide et de tout frein scientifiques, empruntés aux véritables lois fondamentales de la nature humaine, s'égare à la vaine contemplation des espérances les plus chimériques et même les plus absurdes. De semblables aberrations, chez d'aussi grands esprits, sont bien propres à nous faire sentir combien il est radicalement impossible à notre faible intelligence de franchir avec succès aucun des nombreux intermédiaires que nous impose graduellement la marche générale de l'esprit humain.

Sous le point de vue politique, il est également évident que la notion fondamentale du progrès social a dû devenir à la fois beaucoup plus nette et plus ferme, et finalement bien plus prépondérante pour Condorcet, qu'elle n'avait pu l'être pour Montesquieu. Car, même indépendamment de l'explosion caractéristique de 1789, on ne pouvait plus douter, au temps de Condorcet, de la tendance finale de l'espèce humaine à quitter irrévocablement l'ancien système social, quoique la nature générale du système nouveau ne pût être encore que très vaguement soupçonnée, et fût même presque toujours essentiellement méconnue. Ayant déjà suffisamment indiqué l'inévitable nécessité de cette condition capitale, et l'indispensable influence de son accomplissement graduel, je n'ai pas besoin d'y revenir spécialement ici. Mais, afin de compléter cette importante explication, je dois profiter de la précieuse occasion que me fournit, d'une manière à la fois si spontanée et si prononcée, le mémorable exemple de Condorcet, pour faire comprendre par quelle fatale réaction cette influence de l'esprit révolutionnaire, après avoir donné à l'idée de progression sociale une puissante impulsion primitive, qui ne pouvait alors être autrement produite, vient ensuite entraver radicalement, et d'une manière non moins nécessaire, son premier développement scientifique. Cette funeste propriété résulte spontanément des préjugés critiques que doit universellement établir la prépondérance absolue de la philosophie révolutionnaire, et qui s'opposent directement à toute saine appréciation du passé politique, et, par conséquent, à toute conception vraiment rationnelle de la progression continue et graduelle de l'humanité. Rien n'est, malheureusement, plus sensible, dans l'ouvrage de Condorcet, dont la lecture attentive fait, à chaque instant, ressortir cette contradiction fondamentale, aussi directe qu'étrange, de l'immense perfectionnement où l'espèce humaine y est représentée comme parvenue à la fin du dixhuitième siècle, comparé à l'influence éminemment rétrograde que l'auteur attribue, presque constamment, dans l'ensemble du passé, à toutes les doctrines, à toutes les institutions, à tous les pouvoirs effectivement prépondérans: quoique, du point de vue scientifique, le progrès total finalement accompli ne puisse être, sans doute, que le résultat général de l'accumulation spontanée des divers progrès partiels successivement réalisés depuis l'origine de la civilisation, en vertu de la marche nécessairement lente et graduelle de la nature humaine. Ainsi conçue, l'étude du passé ne présente plus, à vrai dire, qu'une sorte de miracle perpétuel, où l'on s'est même interdit d'abord la ressource vulgaire de la Providence. Pourraiton, dèslors, s'étonner que, malgré le mérite éminent et trop peu senti de plusieurs aperçus incidens, Condorcet n'ait réellement dévoilé aucune des lois véritables du développement humain, qu'il n'ait nullement soupçonné la nature essentiellement transitoire de la politique révolutionnaire, et que, finalement, il ait toutàfait manqué la conception générale de l'avenir social? Une expérience philosophique aussi tristement décisive doit faire profondément sentir combien toute prépondérance de l'esprit révolutionnaire est désormais incompatible avec l'étude vraiment rationnelle des lois positives de la progression sociale. Il faut, sans doute, soigneusement éviter, soit envers le passé, soit à l'égard du présent, que le sentiment scientifique de la subordination nécessaire des événemens sociaux à d'invariables lois naturelles dégénère jamais en une disposition systématique à un fatalisme ou à un optimisme également dégradans et pareillement dangereux: et c'est, en partie, pour ce motif que des caractères élevés peuvent seuls cultiver avec succès la physique sociale. Mais, il n'est pas moins évident, d'après le principe philosophique des conditions d'existence, établi surtout, dans le volume précédent, à l'égard des phénomènes biologiques quelconques, et éminemment applicable, par sa nature, aux phénomènes politiques, que toute force sociale longtemps active a dû nécessairement participer à la production générale du développement humain, suivant un mode déterminé, dont l'exacte analyse constitue, pour la science, une indispensable obligation permanente, comme je l'expliquerai spécialement, au chapitre suivant, en traitant directement de l'esprit fondamental qui doit appartenir à cette science nouvelle. Toute autre manière de procéder, par voie de négation systématique et continue de la nécessité ou de l'utilité des diverses grandes influences ou opérations politiques que l'histoire nous fait connaître, à la façon de Condorcet, doit promptement devenir destructive de toute étude vraiment rationnelle des phénomènes sociaux, et rendre, par conséquent, impossible la saine physique sociale, en y empêchant radicalement la position normale de chaque problème. On ne peut, à ce sujet, s'abstenir de contempler, avec une respectueuse admiration, la profonde supériorité philosophique de Montesquieu, qui, sans avoir pu, comme Condorcet, juger l'esprit révolutionnaire d'après l'expérience la plus caractéristique, avait su néanmoins s'affranchir essentiellement, à l'égard du passé, des préjugés critiques qui dominaient toutes les intelligences contemporaines, et qui avaient même gravement atteint sa propre jeunesse. Quoi qu'il en soit, les réflexions précédentes nous conduisent finalement à apprécier, avec une plus grande précision, la condition politique préliminaire cidessus établie pour la fondation d'une véritable science sociale. Car, nous voyons ainsi que cette fondation n'a pu devenir réalisable que depuis que l'esprit révolutionnaire a dû commencer à perdre son principal ascendant, ce qui, par une autre voie, nous ramène essentiellement à l'époque actuelle, comme nous l'avions déjà reconnu d'après la condition purement scientifique.

Malgré que cette double explication générale soit ici, sans doute, extrêmement sommaire, elle suffira, j'espère, pour faire convenablement apprécier, ainsi que je l'avais annoncé, soit l'éminente valeur du projet philosophique conçu par Condorcet, soit l'avortement nécessaire et total de son exécution réelle. Si la vraie nature générale de l'opération a été enfin nettement dévoilée à jamais par cette mémorable tentative, il est également incontestable que l'entreprise reste encore tout entière à accomplir. Tous les esprits éclairés déploreront toujours profondément la tragique destinée de cet illustre philosophe, enlevé à l'humanité, dans la plénitude de sa carrière, par suite des sauvages aberrations de ses contemporains, et qui a su utiliser si noblement, au profit de la grande cause, jusqu'à sa mort glorieuse, en y donnant solennellement, avec une énergie aussi modeste que soutenue, l'un de ces exemples décisifs d'une sublime et touchante abnégation personnelle unie à une fermeté calme et inébranlable, que les croyances religieuses prétendaient pouvoir seules produire ou maintenir. Mais, quelques progrès qu'une aussi haute raison, appuyée d'un aussi noble caractère, n'eût pu manquer de faire, à la suite des grands événemens ultérieurs, si le temps ne lui avait pas été aussi déplorablement ravi, l'analyse précédente ne nous permet point de penser que Condorcet eût pu réellement parvenir jamais à rectifier, au degré suffisant, le vice fondamental d'une telle élaboration, dont les conditions essentielles, soit scientifiques, soit politiques, n'ont pu commencer enfin à être convenablement remplies que de nos jours, chez les intelligences même les plus éminentes et les plus avancées.

Les deux tentatives philosophiques que je viens de caractériser sommairement, sont, à vrai dire, les seules jusqu'ici qui, malgré leur irrécusable précocité et leur inévitable avortement, doivent être envisagées comme dirigées suivant la véritable voie générale qui peut conduire finalement à la constitution positive de la science sociale; puisque cette science y est, du moins, toujours conçue de manière à reposer immédiatement sur l'ensemble des faits historiques, soit dans la pensée de Montesquieu, soit, encore plus distinctement, dans celle de Condorcet. Outre ces deux mémorables séries de travaux, qui, à ce titre, devaient exclusivement nous occuper ici, j'aurai naturellement l'occasion, dans l'un des chapitres suivans, d'apprécier suffisamment, quoique d'une manière purement incidente, quelques autres efforts, bien plus radicalement illusoires et nécessairement stériles, où l'on se proposait vainement de positiver la science sociale en la déduisant de quelqu'une des différentes sciences fondamentales déjà constituées; ce qui n'a pu avoir d'autre efficacité réelle que de mieux manifester l'urgence d'une opération aussi diversement poursuivie depuis un demisiècle. Mais, afin de tirer de notre examen actuel toute l'utilité principale qu'il peut comporter pour le préalable éclaircissement général du but et de l'esprit de la grande fondation que j'ose entreprendre à mon tour, je crois devoir le compléter encore par quelques réflexions philosophiques sur la nature et l'objet de ce qu'on nomme l'économie politique.

On ne peut, sans doute, nullement reprocher à nos économistes d'avoir prétendu établir la véritable science sociale, puisque les plus classiques d'entre eux se sont efforcés de représenter dogmatiquement, surtout de nos jours, le sujet général de leurs études comme entièrement distinct et indépendant de l'ensemble de la science politique, dont ils s'attachent toujours davantage à l'isoler parfaitement. Mais, malgré cet aveu décisif, dont la sincérité spontanée ne doit, certes, être aucunement suspectée, il n'est pas moins évident que ces philosophes se sont persuadés, de très bonne foi, qu'ils étaient enfin parvenus, à l'imitation des savans proprement dits, à soumettre enfin à l'esprit positif ce qu'ils appellent la science économique, et que chaque jour ils proposent leur manière de procéder comme le type d'après lequel toutes les théories sociales doivent être finalement régénérées. Cette illusion fort naturelle ayant, dans ce siècle, graduellement acquis assez de crédit, soit parmi le public, soit auprès des gouvernemens, pour donner lieu, sur les principaux points du monde civilisé, à l'institution de plusieurs chaires spéciales officiellement destinées à ce nouvel enseignement, il ne sera pas inutile ici de la caractériser succintement, afin de vérifier clairement que je ne dois pas me borner, ce qui me semblerait, à tous égards, bien préférable, à continuer une opération déjà commencée, mais qu'il s'agit, malheureusement, au contraire, et sans que rien puisse m'en dispenser, de tenter une création philosophique qui n'a jamais été jusqu'ici ébauchée ni même convenablement conçue par aucun de mes prédécesseurs. Quoique ce surcroît de démonstration doive, sans doute, paraître superflu à tout lecteur graduellement préparé, par l'étude attentive des trois volumes précédens, à pressentir suffisamment le véritable esprit philosophique et les conditions logiques essentielles de la science sociale, il n'en saurait être ainsi chez les intelligences, même fortement organisées, dépourvues, par la nature de leur éducation, du sentiment intime et familier de la vraie positivité scientifique, et à l'égard desquelles le rapide éclaircissement préalable qui va suivre doit avoir une importance réelle, m'en référant, d'ailleurs, bien entendu, à l'ensemble de ce volume, pour dissiper implicitement toutes les objections prématurées que pourrait soulever et toutes les incertitudes secondaires que pourrait laisser une aussi sommaire appréciation fondamentale de l'économie politique.

Au point où ce Traité est maintenant parvenu, une simple considération préjudicielle, si elle pouvait être pleinement sentie, devrait suffire, ce me semble, à caractériser clairement cette inanité nécessaire des prétentions scientifiques de nos économistes, qui, presque toujours sortis des rangs des avocats ou des littérateurs, n'ont pu, certainement, puiser à aucune source régulière cet esprit habituel de rationnalité positive qu'ils croient avoir transporté dans leurs recherches. Inévitablement étrangers, par leur éducation, même envers les moindres phénomènes, à toute idée d'observation scientifique, à toute notion de loi naturelle, à tout sentiment de vraie démonstration, il est évident que, quelle que pût être la force intrinsèque de leur intelligence, ils n'ont pu toutàcoup appliquer convenablement aux analyses les plus difficiles une méthode dont ils ne connaissaient nullement les plus simples applications, sans aucune autre préparation philosophique que quelques vagues et insuffisans préceptes de logique générale, incapables d'aucune efficacité réelle. Aussi l'ensemble de leurs travaux manifestetil évidemment, de prime abord, à tout juge compétent et exercé, les caractères les plus décisifs des conceptions purement métaphysiques. On doit, toutefois, honorablement écarter, avant tout, le cas éminemment exceptionnel de l'illustre et judicieux philosophe Adam Smith, qui, sans avoir aucunement la vaine prétention de fonder, à ce sujet, une nouvelle science spéciale, s'est seulement proposé pour but, si bien réalisé dans son immortel ouvrage, d'éclaircir différens points essentiels de philosophie sociale, par ses lumineuses analyses relatives à la division du travail, à l'office fondamental des monnaies, à l'action générale des banques, etc., et à tant d'autres parties principales du développement industriel de l'humanité. Quoique ayant dû rester essentiellement engagé encore dans la philosophie métaphysique, comme tous ses contemporains, même les plus éminens, un esprit de cette trempe, qui d'ailleurs appartenait alors, d'une manière si distinguée, à l'école métaphysique la plus avancée, ne pouvait guère tomber profondément dans une telle illusion, précisément parce que l'ensemble de ses études préalables avait dû lui faire mieux sentir en quoi consiste surtout la vraie méthode scientifique, comme le témoignent clairement de précieux aperçus, trop peu appréciés, sur l'histoire philosophique des sciences, et notamment de l'astronomie, publiés parmi ses oeuvres posthumes. A cette seule exception près, aussi nettement expliquée, et dont les économistes s'autoriseraient vainement, il est, ce me semble, évident que toute la partie dogmatique de leur prétendue science présente, d'une manière également directe et profonde, le simple caractère métaphysique, malgré l'affectation illusoire des formes spéciales et du protocole habituel du langage scientifique, déjà grossièrement imité, du reste, sans plus de succès réel, en plusieurs autres occasions philosophiques fort antérieures, et, par exemple, dans les compositions théologicométaphysiques du célèbre Spinosa. Celui qui, de nos jours, a présenté l'ensemble de cette doctrine économique sous l'aspect le plus rationnel et le mieux appréciable, le respectable Tracy, a fait directement, avec cette noble candeur philosophique qui le caractérisa toujours, l'aveu spontané et décisif d'une telle constitution métaphysique, en exécutant simplement son traité d'économie politique comme une quatrième partie de son traité général d'idéologie, entre la logique et la morale; et ce caractère fondamental, loin d'être borné à la seule coordination primitive, que l'on pourrait attribuer à d'accidentelles préoccupations systématiques, se montre, au contraire, pleinement soutenu, de la manière la plus naturelle et la plus prononcée, dans tout le cours du travail.

Du reste, l'histoire contemporaine de cette prétendue science confirme, avec une irrésistible évidence, ce jugement direct sur sa nature purement métaphysique. Il est incontestable, en effet, d'après l'ensemble de notre passé intellectuel pendant les trois derniers siècles, sans avoir besoin de remonter plus haut, que la continuité et la fécondité sont les symptômes les moins équivoques de toutes les conceptions vraiment scientifiques. Quand les travaux actuels, au lieu de se présenter comme la suite spontanée et le perfectionnement graduel des travaux antérieurs, prennent, pour chaque auteur nouveau, un caractère essentiellement personnel, de manière à remettre sans cesse en question les notions les plus fondamentales; quand, d'un autre côté, la constitution dogmatique, loin d'engendrer aucun progrès réel et soutenu, ne détermine habituellement qu'une stérile reproduction de controverses illusoires, toujours renouvelées, et n'avançant jamais: dès lors, on peut être certain qu'il ne s'agit point d'une doctrine positive quelconque, mais de pures dissertations théologiques ou métaphysiques. Or, n'estce point là le spectacle intellectuel que nous présente, depuis un demisiècle, l'économie politique? Si nos économistes sont, en réalité, les successeurs scientifiques d'Adam Smith, qu'ils nous montrent donc en quoi ils ont effectivement perfectionné et complété la doctrine de ce maître immortel, quelles découvertes vraiment nouvelles ils ont ajoutées à ses heureux aperçus primitifs, essentiellement défigurés, au contraire, par un vain et puéril étalage des formes scientifiques. En considérant, d'un regard impartial, les stériles contestations qui les divisent sur les notions les plus élémentaires de la valeur, de l'utilité, de la production, etc., ne croiraiton pas assister aux plus étranges débats des scolastiques du moyen âge sur les attributions fondamentales de leurs pures entités métaphysiques, dont les conceptions économiques prennent de plus en plus le caractère, à mesure qu'elles sont dogmatisées et subtilisées davantage. Dans l'un, comme dans l'autre cas, le résultat final de ces absurdes et interminables discussions, est, le plus souvent, de dénaturer profondément les précieuses indications primitives du bon sens vulgaire, désormais converties en notions radicalement confuses, qui ne sont plus susceptibles d'aucune application réelle, et qui ne peuvent essentiellement engendrer que d'oiseuses disputes de mots. Ainsi, par exemple, tous les hommes sensés attachaient d'abord un sens nettement intelligible aux expressions indispensables de produit et de producteur: depuis que la métaphysique économique s'est avisée de les définir, l'idée de production, à force de vicieuses généralisations, est devenue tellement vague et indéterminée que les esprits judicieux, qui se piquent d'exactitude et de clarté, sont maintenant obligés d'employer de pénibles circuits de langage pour éviter l'emploi de termes rendus profondément obscurs et équivoques. Un tel effet n'estil point alors parfaitement analogue au pareil ravage produit auparavant par la métaphysique dans l'étude fondamentale de l'entendement humain, à l'égard, par exemple, des notions générales d'analyse et de synthèse, etc.? Il faut d'ailleurs soigneusement remarquer que l'aveu général de nos économistes sur l'isolement nécessaire de leur prétendue science, relativement à l'ensemble de la philosophie sociale, constitue implicitement une involontaire reconnaissance, décisive quoique indirecte, de l'inanité scientifique de cette théorie, qu'Adam Smith n'avait en garde de concevoir ainsi. Car, par la nature du sujet, dans les études sociales, comme dans toutes celles relatives aux corps vivans, les divers aspects généraux sont, de toute nécessité, mutuellement solidaires et rationnellement inséparables, au point de ne pouvoir être convenablement éclaircis que les uns par les autres, ainsi que la leçon suivante l'expliquera spécialement. Quand on quitte le monde des entités, pour aborder les spéculations réelles, il devient donc certain que l'analyse économique ou industrielle de la société ne saurait être positivement accomplie, abstraction faite de son analyse intellectuelle, morale, et politique, soit au passé, soit même au présent: en sorte que, réciproquement, cette irrationnelle séparation fournit un symptôme irrécusable de la nature essentiellement métaphysique des doctrines qui la prennent pour base.

Tel est donc le jugement final que me semble mériter la prétendue science économique, considérée sous le rapport dogmatique. Mais, à son égard, il serait injuste d'oublier que, en l'envisageant du point de vue historique propre à ce volume, et dans une intention moins scientifique et plus politique, cette doctrine constitue réellement une dernière partie essentielle du système total de la philosophie critique, qui a exercé, pendant la période purement révolutionnaire, un office si indispensable, quoique simplement transitoire. L'économie politique, comme j'aurai lieu de l'expliquer ultérieurement dans l'analyse historique de cette grande époque, a participé, d'une manière qui lui est propre, et presque toujours fort honorable, à cette immense lutte intellectuelle, en discréditant radicalement l'ensemble de la politique industrielle que, depuis le moyen âge, développait de plus en plus l'ancien régime social, et qui en même temps devenait incessamment plus nuisible à l'essor général de l'industrie moderne, qu'elle avait d'abord utilement protégé. Cette fonction purement provisoire constitue, à vrai dire, la principale efficacité sociale d'une telle doctrine, sans que le vernis scientifique dont elle a vainement tenté de se couvrir y soit d'ailleurs d'aucune utilité réelle. Mais, si, à ce titre, elle partage spécialement la gloire générale de ce vaste déblai préliminaire, elle manifeste aussi, à sa manière, les graves inconvéniens politiques que nous avons reconnus, dans la leçon précédente, et que nous sentirons de plus en plus dans la suite, appartenir nécessairement désormais à l'ensemble de la philosophie révolutionnaire, depuis que le mouvement de décomposition a été poussé assez loin pour rendre de plus en plus indispensable la prépondérance finale du mouvement inverse de recomposition. Il n'est que trop aisé de constater, en effet, que l'économie politique, comme toutes les autres parties de cette philosophie, a également son mode spécial de systématiser l'anarchie; et les formes scientifiques qu'elle a empruntées de nos jours ne font, en réalité, qu'aggraver un tel danger, en tendant à le rendre plus dogmatique et plus étendu. Car cette prétendue science ne s'est point bornée, quant au passé, à critiquer, d'une manière beaucoup trop absolue, la politique industrielle des anciens pouvoirs européens, qui, malgré ses inconvéniens actuels, avaient certainement exercé longtemps une influence utile, et même indispensable au premier développement industriel des sociétés modernes. Il y a bien plus: l'esprit général de l'économie politique, pour quiconque l'a convenablement apprécié dans l'ensemble des écrits qui s'y rapportent, conduit essentiellement aujourd'hui à ériger en dogme universel l'absence nécessaire de toute intervention régulatrice quelconque, comme constituant, par la nature du sujet, le moyen le plus convenable de seconder l'essor spontané de la société; en sorte que, dans chaque occasion grave qui vient successivement à s'offrir, cette doctrine ne sait répondre, d'ordinaire, aux plus urgens besoins de la pratique, que par la vaine reproduction uniforme de cette négation systématique, à la manière de toutes les autres parties de la philosophie révolutionnaire. Pour avoir, plus ou moins imparfaitement, constaté, dans quelques cas particuliers, d'une importance fort secondaire, la tendance naturelle des sociétés humaines à un certain ordre nécessaire, cette prétendue science en a très vicieusement conclu l'inutilité fondamentale de toute institution spéciale, directement destinée à régulariser cette coordination spontanée, au lieu d'y voir seulement la source première de la possibilité d'une telle organisation, comme je l'expliquerai convenablement dans la suite 23. Toutefois, quels que soient les dangers évidens de ce sophisme universel, dont les conséquences logiques, si elles pouvaient être pleinement et librement déduites, n'iraient à rien moins qu'à l'abolition méthodique de tout gouvernement réel, la justice exige qu'on remarque aussi, par une sorte de compensation, d'ailleurs très imparfaite, l'heureuse disposition simultanée de l'économie politique actuelle à représenter immédiatement, dans le genre le moins noble des relations sociales, les divers intérêts humains comme nécessairement solidaires, et par suite susceptibles d'une stable conciliation fondamentale. Quoique, par cette importante démonstration, les économistes n'aient fait, sans doute, que servir, plus ou moins fidèlement, d'organe philosophique à la conviction universelle que le bon sens vulgaire devait spontanément acquérir par suite du progrès commun et continu de l'industrie humaine dans l'ensemble des populations modernes, la saine philosophie ne leur en devra pas moins une éternelle reconnaissance de leurs heureux efforts pour dissiper le funeste et immoral préjugé qui, soit entre individus, soit entre peuples, représentait l'amélioration de la condition matérielle des uns comme ne pouvant résulter que d'une détérioration correspondante chez les autres, ce qui revenait, au fond, à nier ou à méconnaître le développement industriel, en supposant nécessairement constante la masse totale de nos richesses. Mais, malgré ce grand service, que la véritable science sociale devra soigneusement recueillir et compléter, la tendance métaphysique de l'économie politique à empêcher l'institution de toute discipline industrielle, n'en demeure pas moins éminemment dangereuse. Cette vaine et irrationnelle disposition à n'admettre que ce degré d'ordre qui s'établit de luimême, équivaut évidemment, dans la pratique sociale, à une sorte de démission solennelle donnée par cette prétendue science à l'égard de chaque difficulté un peu grave que le développement industriel vient à faire surgir. Rien n'est, surtout, plus manifeste dans la fameuse et immense question économique des machines, qui, convenablement envisagée, coïncide avec l'examen général des inconvéniens sociaux immédiats inhérens à tout perfectionnement industriel quelconque, comme tendant à la perturbation plus ou moins profonde et plus ou moins durable du mode actuel d'existence des classes laborieuses. Aux justes et urgentes réclamations que soulève si fréquemment cette lacune fondamentale de notre ordre social, et au lieu d'y voir l'indice de l'une des applications les plus capitales et les plus pressantes de la vraie science politique, nos économistes ne savent que répéter, avec une impitoyable pédanterie, leur stérile aphorisme de liberté industrielle absolue. Sans réfléchir que toutes les questions humaines, envisagées sous un certain aspect pratique, se réduisent nécessairement à de simples questions de temps, ils osent répondre à toutes les plaintes que, à la longue, la masse de notre espèce, et même la classe d'abord lésée, doivent finir par éprouver, après ces perturbations passagères, une amélioration réelle et permanente: ce qui, malgré l'incontestable exactitude de cette conséquence nécessaire, peut être regardé comme constituant, de la part de cette prétendue science, une réponse vraiment dérisoire, où l'on paraît oublier que la vie de l'homme est fort loin de comporter une durée indéfinie. On ne peut, du moins, s'empêcher de reconnaître qu'une telle théorie proclame spontanément ainsi, d'une manière hautement irrécusable, sa propre impuissance sociale, en se montrant aussi radicalement dépourvue de toute relation fondamentale avec l'ensemble des principaux besoins pratiques. Les nombreux copistes, par exemple, qui souffrirent jadis de la révolution industrielle produite par l'usage de l'imprimerie, auraientils pu être suffisamment soulagés par la perspective, même indubitable, que, dans la génération suivante, il y aurait déjà autant d'ouvriers vivant de la typographie, et que, après quelques siècles, il en existerait beaucoup plus? Telle est pourtant l'habituelle consolation qui ressort spécialement de l'économie politique actuelle, dont cette étrange fin de nonrecevoir suffirait, sans doute, à défaut de discussion rationnelle, pour caractériser indirectement l'inaptitude nécessaire à diriger, comme elle se le propose, l'essor industriel des sociétés modernes. Ainsi, malgré d'utiles éclaircissemens préliminaires dus à cette doctrine, et quoiqu'elle ait pu contribuer, à sa manière, à préparer une saine analyse historique en appelant directement l'attention des philosophes sur le développement fondamental de l'industrie humaine, on voit, en résumé, que l'appréciation politique de cette prétendue science confirme essentiellement, au fond, ce qu'avait dû faire prévoir son appréciation scientifique directe, en témoignant qu'on n'y doit nullement voir un élément déjà constitué de la future physique sociale, qui, par sa nature, ne saurait être convenablement fondée qu'en embrassant, d'une seule grande vue philosophique, l'ensemble rationnel de tous les divers aspects sociaux.

Note 23: (retour) Il convient peutêtre de noter ici, à ce sujet, que les dangereuses rêveries reproduites de nos jours au sujet de l'institution fondamentale de la propriété, se sont, d'ordinaire, essentiellement autorisées, dans l'origine, des prétendues démonstrations de l'économie politique, pour se donner, à peu de frais, un certain appareil scientifique, qui chez beaucoup d'esprits mal cultivés, n'a que trop facilité leurs ravages: ce qui témoigne clairement de la vaine impuissance d'une telle doctrine, malgré ses prétentions illusoires, à contenir efficacement, même dans les sujets qui semblent le plus lui appartenir, l'esprit général d'anarchie, dont elle a, au contraire, puissamment secondé, en ce cas, le développement spontané.
Il est donc sensible, par suite de ces différentes explications, que l'espèce de prédilection passagère que l'esprit humain semble manifester, de nos jours, pour ce qu'on nomme l'économie politique, doit être surtout envisagée, en réalité, comme un nouveau symptôme caractéristique du besoin instinctif, déjà profondément senti, de soumettre enfin les études sociales à des méthodes vraiment positives, et, en même temps, du défaut actuel d'accomplissement effectif de cette grande condition philosophique, qui, une fois convenablement remplie, fera spontanément cesser tout l'intérêt intellectuel que paraît encore inspirer cette apparence illusoire. On pourrait d'ailleurs aisément signaler ici, au même titre principal, beaucoup d'autres indices généraux plus ou moins directs, mais presque également irrécusables, d'une telle disposition fondamentale, qui, à vrai dire, se manifeste réellement aujourd'hui dans tous les divers modes essentiels de l'exercice permanent de notre intelligence. Mais, pour éviter des détails faciles à suppléer, je dois me borner, en dernier lieu, à mentionner très rapidement, comme tendant, avec une efficacité bien supérieure, à ce grand but final, la disposition toujours croissante des esprits actuels vers les études historiques, et le notable perfectionnement qu'elles ont graduellement éprouvé dans les deux derniers siècles.

C'est, certainement, à notre grand Bossuet qu'il faudra toujours rapporter la première tentative importante de l'esprit humain pour contempler, d'un point de vue suffisamment élevé, l'ensemble du passé social. Sans doute, les ressources, faciles mais illusoires, qui appartiennent à toute philosophie théologique, pour établir, entre les événemens humains, une certaine liaison apparente, ne permettent nullement d'utiliser aujourd'hui, dans la construction directe de la véritable science du développement social, des explications inévitablement caractérisées par la prépondérance, alors trop irrésistible en ce genre, d'une telle philosophie. Mais cette admirable composition, où l'esprit d'universalité, indispensable à toute conception semblable, est si vigoureusement apprécié, et même maintenu autant que le permettait la nature de la méthode employée, n'en demeurera pas moins, à jamais, un imposant modèle, toujours éminemment propre à marquer nettement le but général que doit se proposer sans cesse notre intelligence en résultat final de toutes nos analyses historiques, c'estàdire la coordination rationnelle de la série fondamentale des divers événemens humains d'après un dessein unique, à la fois plus réel et plus étendu que celui conçu par Bossuet. Il serait d'ailleurs superflu de rappeler expressément ici que la partie de cet immortel discours où l'auteur a pu s'affranchir spontanément des entraves inévitables que la philosophie théologique imposait à son éminent génie, brille encore aujourd'hui d'une foule d'aperçus historiques d'une justesse et d'une précision remarquables, qui n'ont jamais été surpassées depuis, ni quelquefois même égalées. Telle est surtout cette belle appréciation sommaire de l'ensemble de la politique romaine, au niveau de laquelle Montesquieu luimême n'a pas, à mon avis, su toujours se maintenir. L'influence, directe ou indirecte, inaperçue ou sentie, de ce premier enseignement capital a, sans doute, puissamment contribué, dans le siècle dernier, et même dans celuici, au caractère de plus en plus satisfaisant qu'ont dû prendre graduellement les principales compositions historiques, surtout en France, en Angleterre, et ensuite en Allemagne. Néanmoins, il est incontestable, comme j'aurai lieu de le faire bientôt sentir spécialement, que, malgré ces intéressans progrès, si heureusement destinés à préparer sa rénovation finale, l'histoire n'a point encore cessé d'avoir un caractère essentiellement littéraire ou descriptif, et n'a nullement acquis une véritable nature scientifique, en établissant enfin une vraie filiation rationnelle dans la suite des événemens sociaux, de manière à permettre, comme pour tout autre ordre de phénomènes, et entre les limites générales imposées par une complication supérieure, une certaine prévision systématique de leur succession ultérieure. La témérité même dont une telle destination philosophique semble aujourd'hui entachée, pour la plupart des bons esprits, constitue peutêtre, au fond, la confirmation la plus décisive de cette nature non scientifique de l'histoire actuelle, puisqu'une semblable prévision caractérise désormais, pour toute intelligence convenablement cultivée, toute espèce quelconque de science réelle, comme je l'ai si fréquemment montré dans les volumes précédens. Du reste, le facile crédit qu'obtiennent trop souvent encore de nébuleuses théories historiques qui, dans leur vague et mystérieuse obscurité, ne présentent aucune explication effective de l'ensemble des phénomènes, témoignerait, sans doute, assez des dispositions purement littéraires et métaphysiques dans lesquelles l'histoire continue aujourd'hui à être conçue et étudiée, par des intelligences demeurées essentiellement étrangères au grand mouvement scientifique des temps modernes, et qui, par conséquent, ne peuvent transporter, dans cette difficile étude, que les habitudes irrationnelles engendrées ou maintenues par leur vicieuse éducation. Enfin, la vaine séparation dogmatique que l'on s'efforce de conserver entre l'histoire et la politique vérifie directement, ce me semble, une telle appréciation: car, il est évident que la science historique, convenablement conçue, et la science politique, rationnellement traitée, coïncident, en général, de toute nécessité, comme la suite de ce volume le fera, j'espère, profondément sentir. Toutefois, malgré ces irrécusables observations, il faut savoir suffisamment interpréter l'heureux symptôme universel de régénération philosophique qu'indique, avec tant d'évidence, la prédilection, toujours et partout croissante, de notre siècle pour les travaux historiques, lors même que, faute de principes fixes d'un jugement rationnel, cette disposition s'égare si souvent sur de frivoles et illusoires compositions, inspirées plus d'une fois par le dessein réfléchi d'obtenir, à peu de frais, et d'exploiter rapidement, une renommée provisoire, en satisfaisant, en apparence, au goût dominant de l'époque. Parmi les nombreux témoignages contemporains que l'on pourrait aisément citer de cette importante transformation, aucun ne me semble plus décisif que l'heureuse introduction spontanée qui s'est graduellement opérée, de nos jours, en Allemagne, au sein même de la classe éminemment métaphysique des jurisconsultes, d'une école spécialement qualifiée d'historique, et qui, en effet, a pris pour tâche principale de lier, à chaque époque du passé, l'ensemble de la législation avec l'état correspondant de la société; ce qu'elle a quelquefois utilement ébauché, malgré la tendance au fatalisme ou à l'optimisme qu'on lui reproche justement d'ordinaire, et qui résulte spontanément de la nature nécessairement incomplète et même équivoque de ces intéressans travaux, encore essentiellement dominés par une philosophie toute métaphysique.

Quelque sommaires qu'aient dû être les diverses indications générales contenues dans cette leçon, elles suffiront, sans doute, pour confirmer ici l'urgence et l'opportunité de la grande création philosophique dont la leçon précédente avait directement expliqué la destination fondamentale. Il faut que le besoin instinctif de constituer enfin la science sociale sur des bases vraiment positives, soit profondément réel, et même bien senti, quoique mal apprécié, pour que cette opération, malgré son peu de maturité rationnelle jusqu'à nos jours, ait été tentée avec tant d'opiniâtreté, et par des voies si variées. En même temps, l'analyse générale des principaux efforts nous a expliqué leur avortement nécessaire, et nous a fait comprendre qu'une telle entreprise, désormais suffisamment préparée, reste néanmoins tout entière à concevoir de façon à comporter une réalisation définitive. D'après cet ensemble de préliminaires, rien ne s'oppose plus maintenant à ce que nous puissions convenablement procéder, d'une manière directe, à cet éminent travail scientifique, comme je vais commencer à le faire dans la leçon suivante, en traitant immédiatement de la méthode en physique sociale. Mais la suite de ce volume fera, j'espère, naturellement ressortir la haute utilité continue de la double introduction générale que je viens de terminer entièrement, et sans laquelle notre exposition eût été nécessairement affectée d'embarras et d'obscurité, et qui était surtout indispensable pour garantir, dès l'origine, la réalité politique de la conception principale, en manifestant sa relation fondamentale avec l'ensemble des besoins sociaux, dont nous pourrons ainsi éliminer dorénavant la considération formelle, pour suivre, avec une pleine liberté philosophique, l'essor purement spéculatif qui doit maintenant prédominer jusqu'à la fin de ce Traité, où la coordination générale entre la théorie et la pratique devra, à son tour, devenir finalement prépondérante.

Milton Keynes UK
Ingram Content Group UK Ltd.
UKHW050821040923
428018UK00009B/660